VORST RADBOUT KNEUSNEUS VAN DUISTERGRIM

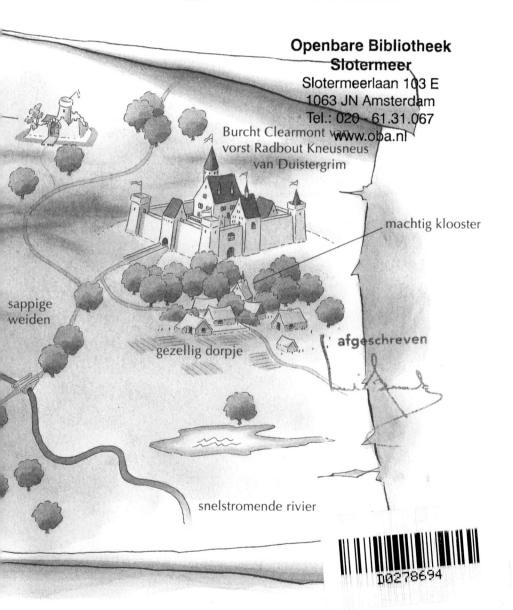

Burcht Clearmont van
vorst Radbout Kneusneus
van Duistergrim

machtig klooster

sappige
weiden

gezellig dorpje

afgeschreven

snelstromende rivier

KNISTER

Arabesk

De avonturen
van een ridderpaard

KNISTER

Arabesk

De avonturen
van een ridderpaard

Vet lachen,
zo'n toernooi!

KLUITMAN

Nur 283/W051301
© MMXIII Nederlandse editie: Uitgeverij Kluitman Alkmaar B.V.
© MMXI Tekst: KNISTER
© MMXI Illustraties: Thomas Dähne
First published by Arena Verlag GmbH, Würzburg, Duitsland
Oorspronkelijke titel: *Arabesk. Die Abenteuer eines ritterlichen Pferdes*
Nederlandse vertaling: Annemarie Dragt
Opmaak binnenwerk: Studio L.E.O.

kluitman.nl

BIJ KONINKLIJKE BESCHIKKING
HOFLEVERANCIER

WIE JE MOET KENNEN

Ella

… is een leuk, handig meisje met een helder verstand. Ella heeft geen ouders meer en is opgevoed door haar pleeg-moeder Marta. In de tijd waarin zij leeft, kunnen kinderen niet lang kind blijven. En dus moet ze, al is ze pas tien jaar, hard werken en zelf voor de kost zorgen.

Heeft ze echt een geheimzinnige band met haar paard Arabesk? Of kan ze gewoon goed met paarden omgaan? Sommige mensen denken dat ze met Arabesk kan praten…

Urs

… is precies even oud als Ella, maar hij is heel beschermd opgegroeid. Vanaf zijn jongste jaren is hij opgevoed in een klooster. Daar heeft hij meer geleerd dan de meeste mensen in de tijd waarin hij leeft: Urs kan lezen en schrijven.

Maar hij kan nog meer. Hoewel het verboden was, heeft een bereisde monnik hem de krijgskunst van de Shaolin-monniken geleerd, kungfu. Hij heeft zijn leermeester beloofd om deze krijgskunst nooit in het openbaar te beoefenen. Maar zal Urs zich tijdens zijn avonturen aan deze belofte kunnen houden?

Rochus van Quinkenslag

… zou graag een ridder zonder vrees of blaam willen zijn. Maar helaas heeft deze vreemde snuiter een beetje te veel van allebei. Dankzij Ella en Arabesk raakt hij per ongeluk verzeild in een groot avontuur. Zal hij met zijn klunzigheid alles nog erger maken?

Vorst Radbout Kneusneus van Duistergrim

Alles aan hem is groot: zijn enorme gestalte, zijn overmatige hebzucht, zijn wreedheid tegenover de arme boeren, zijn listigheid tegenover zijn vrienden en tot slot natuurlijk ook zijn burcht.

Wordt de kleur blauw echt zijn noodlot, zoals hem is voorspeld door een waarzegster?

WAARSCHUWING VAN DE SCHRIJVER

Pas op! Uitsluitend geschikt voor dappere en onverschrokken lezers!

Dit verhaal speelt zich vele, vele jaren geleden af. Ik heb er toevallig over gehoord van een kennis… Nou ja, niet helemaal toevallig, want ik ben schrijver en ik ben geïnteresseerd in goede verhalen.

Maar ik moest zweren dat ik nooit zou vertellen wie het verhaal in het geheim aan mij overgebriefd heeft.

Misschien wil jij er graag over vertellen als je bij het einde van dit verhaal komt. Het bittere einde of 'eind goed, al goed'? We zullen zien…

Wees dan gewaarschuwd: alles wat je weet over dit avontuur kan gevaarlijk zijn. Vorst Van Duistergrim maakt jacht op iedereen die mogelijk op de hoogte is van het geheim. En zijn handlangers zitten overal…

HET EERSTE HOOFDSTUK,

waarin het bijna
hete pek regent

'Ga je me nu eindelijk vertellen wat er in die bundel zit?' vroeg Ella nieuwsgierig aan haar pleegmoeder.

'Alles wat je nodig hebt,' was het enige wat Marta mompelde en ze wierp een korte blik op Ella, die naast haar op haar paard Arabesk reed. Zelf zat ze op een aftandse ezel, die zo hobbelde dat er bij elke stap een pijnscheut door Marta's rug ging.

De oude vrouw was trots dat Ella was opgegroeid tot zo'n leuk meisje, al was het leven erg zwaar voor haar geweest. De moeder van Ella was vlak na haar geboorte overleden en daarom had Marta het kleine meisje bij zich in huis genomen. Ze bezaten geen cent, maar ze hadden er het beste van gemaakt. Ook al hadden ze vaak honger geleden of het ijskoud gehad. Ze hadden elkaar tenslotte. En Arabesk.

'En als de ridder mij nu niet wil aannemen?' vroeg Ella.

Ze streek nadenkend haar lange haren achter haar oor.

'Waarom zou hij jou niet willen?' antwoordde haar pleeg-moeder. 'Je bent een leuk meisje en je kunt goed werken. Je bent ijverig en slim, en je weet van aanpakken. Welke ridder wil er nu niet zo'n dienstmaagd?'

'Moet het echt?' Ella slikte en kon niet meer verder praten.

Er zat een dikke brok in haar keel.

'Dat heb ik je toch uitgelegd?' Marta's stem trilde. 'Er is geen andere mogelijkheid. Het lukt ons gewoon niet om genoeg voedsel bij elkaar te schrapen voor jou en mij, Arabesk en de ezel. We werken allebei dag in, dag uit en ik krijg steeds meer last van mijn rug… Ik kan niet meer, Ella.' De stem van de oude

vrouw klonk even heel warm. 'Je verdient een beter leven. Ik heb je niet meer genoeg te bieden…' Nu moest Marta ook slikken, hoewel ze normaal gesproken altijd heel hard was.

'En Arabesk?' fluisterde Ella zacht. 'Hoe moet het met hem?'

Als Marta het niet zo druk had gehad met haar eigen verdriet en met haar eigenzinnige ezel, dan had ze gezien dat Ella stiekem tranen van haar wangen veegde. Je begrijpt vast wel waarom Ella haar tranen verborg. Ze wilde haar pleegmoeder, aan wie ze zo veel te danken had, niet nog meer verdriet doen. Wat denk je, zou jij ook zo dapper zijn? Ik kan je wel verklappen dat Ella's hart bijna brak. Ze zou niet alleen afscheid moeten nemen van haar pleegmoeder, maar ook van haar allerbeste vriend, haar paard.

'Arabesk blijft bij jou!' zei de oude vrouw kort.

'Bij mij?' riep Ella verbaasd en ze liet de hengst stilstaan. 'Mag ik hem houden?'

'Je bent toch niet doof?' vroeg haar pleegmoeder op een toon die geen tegenspraak duldde.

'Ja, maar…' Ella kon geen woord meer uitbrengen.

Ella wist dat Arabesk het enige waardevolle was wat ze bezaten. Hij was niet alleen haar beste vriend. Met zijn donkere vacht en de vlindervormige vlek op zijn voorhoofd was het gewoon het allermooiste paard van de hele wereld. En hij was bovendien een echt raspaard.

Dat wil ik even uitleggen: in die tijd hadden alleen vorsten zulke paarden. Het was heel ongewoon dat een arm weeskind zo'n paard bezat. Maar daar was Ella zich niet van bewust. Ze had ook nooit gevraagd waar Arabesk vandaan kwam. Natuurlijk had ze wel in de gaten dat hij eigenlijk veel te goed was om op het land te werken. Toch spande ze hem af en toe in en dan waren ze allebei blij, omdat Arabesk het werk op het land lichter maakte. Ella zuchtte bij de gedachte dat haar pleegmoeder al dat werk nu met die eigenwijze ezel moest doen. Ze was ontroerd dat Marta dat voor haar overhad.

Zwijgend reden Ella en Marta verder, ieder in hun eigen gedachten verzonken.

Ella durfde verder geen vragen meer aan haar pleegmoeder te stellen. Ze had graag willen weten wat ze kon verwachten van haar werk als dienstmaagd. Wat zou ze moeten doen? Zouden er nog meer dienstmaagden zijn? Zou ze gaan werken op een grote ridderburcht?

Ella was een nieuwsgierig en dapper meisje. Ze had veel verdriet over het naderende afscheid en ze was best bang voor wat haar te wachten stond, maar ze had ook zin in het nieuwe avontuur.

'Arabesk, we zijn op weg naar spannende tijden,' fluisterde Ella tegen haar paard. 'Je zult wel blij zijn dat je je stal niet meer hoeft te delen met die lastige ezel.' Ze aaide liefkozend door de manen van haar vriend. 'Jij zult vast ook nieuwe vrienden vinden.'

Ella zuchtte tevreden. Ze was nog nooit zo ver van hun kleine hut geweest. Nu zou er een nieuw leven gaan beginnen, ze ging 'ene aventure besoeken'.

LESJE

Middelnederlands

In de tijd dat Ella en Arabesk leefden, de middeleeuwen dus, praatten de mensen niet precies hetzelfde als tegenwoordig. Toen sprak men Middelnederlands. In onze oren klinkt dat nu heel raar, maar toch kun je de woorden wel snappen als je je best doet. Het is echt grappig om een stukje oude tekst hardop voor te lezen. Probeer het maar eens!

Het is handig om te weten dat 'ae' gelezen wordt als 'aa'. De y kun je lezen als een j. De c en de k worden allebei gebruikt voor de k-klank. En de u en de v worden door elkaar heen gebruikt, dus als er het woordje 'v' staat, betekent dat 'u'. En het woord 'auontstont' is eigenlijk avontstont. Dat betekent 'avondtijd'. In plaats van 'en' zeiden ze in de middeleeuwen 'ende'.

Fraeye historie ende al waer
Mach ic v tellen hoort naer
Het was op enen auontstont
Dat karel slapen begonde

Dit is het begin van het beroemde verhaal *Karel ende Elegast*. Het betekent zoiets als:

Dit mooie verhaal, dat echt is gebeurd,
mag ik u vertellen. Luister maar:
Het was op een avond
dat Karel ging slapen.

Het verhaal vertelt hoe koning Karel van een engel de opdracht krijgt om uit stelen te gaan. Hij vindt het raar, maar doet het toch. In het donker ontmoet hij Elegast, die hem helpt. Zo ontdekken ze een samenzwering tegen Karel. Het is een verhaal vol zwaardgevechten, verraad, trouw, een bloedneus en een bruiloft.

Ella en Marta waren al bij zonsopgang vertrokken. Inmiddels waren ze vele uren onderweg. Toch voelde Ella zich nog helemaal niet moe. Het was zo spannend allemaal! Ze reden door donkere bossen en kwamen een groepje in lompen geklede lieden tegen, die er gevaarlijk uitzagen. Misschien wel een roversbende. Ella bekeek de mannen nieuwsgierig, maar Marta liet haar ezel zelfs een stukje galopperen. Zij vertrouwde die ongure types niet en wilde zo snel mogelijk wegwezen.

Later moesten ze een riviertje oversteken. De ezel zette alle vier zijn poten stevig in de grond en vertikte het om verder te gaan.

'Arabesk, laat jij hem zien hoe het moet?' vroeg Ella haar paard. 'Hij durft niet. Wil je alsjeblieft een mooi vlak stuk zoeken waarover dat eigenwijze ding naar de overkant kan?' En inderdaad vond Arabesk een veilige route door de rivier en hielp hij de ezel naar de andere oever.

De laatste mijlen reden ze tussen sappige weiden door. Eén keer moesten ze snel in de greppel gaan staan. Er kwam een groep ruiters van het hof van de vorst Van Duistergrim aandenderen, die iedereen meedogenloos van de weg af drongen. Marta ging boos tegen hen tekeer, maar Ella keek haar ogen uit. De prachtige uitrustingen die de ruiters van de vorst droegen!

Zoiets moois had Ella nog nooit gezien. Ze stelde zich voor dat deze ruiters misschien wel op weg waren naar een toernooi. Vroeger had Marta haar voor het slapengaan altijd verteld over de bonte feesten en toernooien. Over de heldhaftige ridders en de schitterend geklede jonkvrouwen. Lansen die versplinterden op schilden. Schildknapen die hun heren water aanreikten. Goochelaars die je verstand benevelden. Magiërs die een meisje konden laten zweven.

Ella was dol op deze verhalen en fantaseerde er nog van alles bij. Wat zou ze graag een toernooi meemaken op een echte burcht, de gevechten van de ridders bekijken, de prachtige paarden bewonderen, de schitterende wapenuitrustingen…

Misschien waren er op de burcht van haar toekomstige heer ook wel toernooien. Dan zou zij mogen helpen bij de voorbereidingen. Ella zuchtte toen ze daaraan dacht.

Meteen begon Marta ongeduldig te mopperen dat Ella niet zo moest dromen, maar vlug verder moest rijden.

Nu moet ik me *toch weer met het verhaal bemoeien, om even iets uit te leggen. Het was in die tijd heel gevaarlijk voor twee ongewapende vrouwen om alleen rond te rijden. Ella had*

dat gelukkig niet in de gaten en kon daarom genie-
ten van de rit. Marta wist dat er niets te halen viel bij
haar en de ezel, maar ze zag wel hoe hebberig
iedereen naar Arabesk keek. Daarom durfde ze nie-
mand te vertrouwen, en joeg ze Ella steeds op.

Toen het al begon te schemeren, kwamen ze boven op een kale heuvel. Marta stopte en keek zoekend het dal in. Na een poosje ontdekte ze de toren van een ridderburcht, klakte met haar tong en zette haar ezel weer in beweging, de goede kant op. Ella reed achter haar aan.

Hoe dichter ze bij de toren kwamen, hoe onbehaaglijker Ella zich begon te voelen. Het leek wel of die toren het enige was wat nog overeind stond van de burcht. De ophaalbrug was oud, vermolmd en al vaak opgelapt. Hij was neergelaten en zag eruit alsof hij niet meer opgehaald kon worden. De gracht onder de brug leek meer op een modderpoel. Achter de toren stonden nog wel een paar stallen, maar de daken waren slordig gerepareerd en ze leunden tegen de toren alsof ze anders zouden omvallen. Dit kon toch niet de burcht zijn waar Ella moest gaan werken?

'Hoe ver is het nog naar onze ridderburcht?' vroeg ze

voorzichtig. Zo langzamerhand begon ze de lange rit in haar botten te voelen. En ze had inmiddels ook flinke honger, want ze hadden de hele dag nog niets gegeten. De dieren hadden alleen wat gedronken bij het riviertje.

'We zijn er nu bijna,' verklaarde de oude vrouw. 'Hier woont hij. Dus gedraag je netjes en zeg alleen iets als iemand je wat vraagt.'

'Maar die ridder woonde toch in een echte burcht?' vroeg Ella verbaasd.

'Dit ís een burcht, of eigenlijk: wás een burcht,' zei haar pleegmoeder zacht en ze voegde eraan toe: 'Stijg van je paard. Een dienstmaagd hoort niet hoog op een paard te zitten!'

Behoedzaam liep Marta over de ophaalbrug en klopte op de grote, gesloten poort.

Er gebeurde niets.

'Misschien is de ridder niet thuis?' vroeg Ella.

'Of hij heeft ons niet gehoord,' antwoordde Marta en ze bukte zich om een steen op te rapen, die waarschijnlijk van de muur was afgebrokkeld. Daarmee kon ze harder op de deur bonken.

Langzaam drong het besef tot *Ella door dat haar pleegmoeder misschien wel helemaal niet van tevoren met de ridder had gesproken. Waren ze op goed geluk hiernaartoe gereden? Je kunt je voorstellen dat Ella's onbehaaglijke gevoel nog veel onbehaaglijker werd. Dit was een grote schok! Wat kon ze verwachten achter deze vervallen muren?*

Kloppen en wachten. Niets.

De pleegmoeder probeerde het nog een keer met de steen. Deze keer bonsde ze zo hard dat er van bovenaf losgeraakt zand over hen heen dwarrelde.

Ondanks alle ellende kon Ella haar lachen nauwelijks inhouden. 'Pas maar op, anders vliegen de stukken muur ons om de oren. Dan heeft u in één klap de hele burcht met de grond gelijkgemaakt,' waarschuwde ze haar pleegmoeder hoestend.

Deze keer had het geklop eindelijk effect, want vanuit het binnenste van de burcht klonk een luid gerammel. Daarna een gevloek dat niet in een boek thuishoort. En tot slot, na een korte pauze: 'Wie durft onze rust te verstoren? Vriend of vijand?'

'Vriend!' riep Marta snel, zonder een moment te aarzelen.

'Denken jullie nu echt dat we daarin trappen?' werd er terug-gebruld. 'Dan moet je eerder opstaan, als je een slimme ridder voor de gek wilt houden. Wacht maar tot wij onze gevechtsuit-rusting hebben aangetrokken!'

'Maar wij komen echt als vrienden!' verzekerde Ella hem. Zo kon de ridder horen dat het een vrouwenstem en een meis-jesstem waren, die vroegen om binnengelaten te worden.

'Ha, een listige truc!' klonk het van binnen. 'Prijs jezelf maar gelukkig dat ons vuur net uit is, anders zou het nu vanaf de kantelen hete pek regenen!'

Weer klonk er gestommel en gerammel vanuit de toren, alsof er iemand in een zwaar ijzeren harnas van de trap af viel. Opgeschrikt door het lawaai fladderde een zwerm duiven op langs de muren.

Toen was het stil.

Een hele poos bleef het stil. Uiteindelijk klonk er een jam-merlijk gekreun. En toen: 'Verrotte paardentanden nog aan toe! Het scharnier is verroest. Daar kun je toch niet mee traplopen?'

'Is er iets gebeurd?' vroeg Ella voorzichtig.

'Gruwelbot en duivenkot!' hoorden ze vanuit de toren. Daarna bleef het stil.

'Kunnen we misschien helpen?' informeerde Marta ten slotte.

'Wij hebben allebei een probleem!' riep de stem van binnen. 'Of u nu met goede of kwade bedoelingen bent gekomen, u kunt de burcht niet in. En wij kunnen ons niet uit dit miezerige ezelsnot-harnas bevrijden. Na onze onstuimige afdaling van de trap zitten wij werkelijk helemaal klem!'

Ella en de oude vrouw keken elkaar radeloos aan. Voor alle zekerheid deden ze een stap bij de poort vandaan. Wie weet wat hun nog boven het hoofd hing!

En na een eindeloos lange tijd gebeurde er eindelijk iets. Binnen werd een zware ijzeren grendel opzijgeschoven.

Ella en Marta doken in elkaar toen iemand hen met donderende stem beval: 'Leg uw wapens neer! Iedere tegenstand is zinloos! U bent omsingeld!'

Ze keken elkaar hulpeloos aan. Wapens? Omsingeld?

Luid knarsend werd de laatste grendel opzijgeschoven en één van de deuren ging open. Eerst alleen op een kiertje, breed genoeg om naar buiten te kijken, maar niet naar binnen. Door de spleet klonk een boosaardig lachje. 'Ha, ik zie dat jullie je hebben overgegeven. Dat is geen schande. Tenslotte moesten jullie het opnemen tegen de onverschrokken, huiveringwekkende en genadeloze Rochus van Quinkenslag. Bovendien zijn jullie omsingeld!'

Ella en Marta staarden verbluft naar de spleet in de deur.

'Hoho! Hebben jullie je teruggetrokken? Er komt hete pek van boven... O nee, het vuur was uit. Driedubbele stinkvoeten nog aan toe!'

Wat stond Marta en haar kind nu te wachten?

Ella wist niet of ze in de lach moest schieten of dat ze bang moest zijn. Toen ging eindelijk de grote houten deur knarsend open...

HET TWEEDE HOOFDSTUK,

waarin een armzalige figuur het vuur uit zijn sloffen loopt

Voor Ella's neus stond een merkwaardige gestalte.

Als je veel fantasie had, kon je zien dat hij de resten van een verroest harnas droeg. Met twee leren riemen had Rochus van Quinkenslag – want hij was het – een metalen schaal op zijn hoofd vastgemaakt. Daaronder bevond zich een opmerkelijk, behaard gezicht, dat zo te zien al wat ouder was. Maar zijn ogen lichtten op en keken net zo helder als die van een jonge man. Ze schitterden net zo hard als zijn glimmend gepoetste zwaard.

Met dat zwaard wees de ridder vijandig naar Ella en Marta. Daarbij hield hij zijn linkerhand merkwaardig hoog in de lucht. Niet alsof hij wilde zwaaien, maar meer alsof hij zijn ogen tegen de zon wilde beschermen.

Zijn dunne spillebenen vormden een vreemd contrast met zijn brede borstpantser. Ze staken als twee behaarde bezemstelen uit het harnas. Aan de onderkant eindigden ze in twee houten klompen, zoals die normaal gesproken alleen maar werden gedragen door arme boeren. En ze waren reusachtig groot! Ella giechelde toen ze zijn schoeisel wat beter bekeek. Hiermee zou die oude Quinkenslag vast niet zomaar omvallen.

'Was dat geen geweldige truc van ons?' brulde de ridder zonder hen te begroeten.

'Welke truc?' Ella begreep het niet.

'Nou, die truc met het omsingelen!' verklaarde de ridder.

Ook de pleegmoeder snapte duidelijk niet wat de ridder bedoelde. Ze keek zoekend in alle windrichtingen, maar kon niemand ontdekken. Rondom de burcht was er ook niks waarachter je je zou kunnen verbergen. De ruïne stond zo ongeveer midden in het niets. En trouwens: wie moest hen dan omsingelen? En waarom?

'Hohoho!' lachte ridder Van Quinkenslag met een zware stem, die totaal niet bij zijn krakkemikkige gestalte paste. 'Dat was een slimme list van ons!' ging de vreemde snuiter verder. 'Om te zorgen dat jullie je wapens lieten vallen! Er was helemaal geen omsingeling! Het was alleen maar een sluwe riddertruc...' Hij stond nog steeds zo hard te schudden van het lachen, dat Ella niet raar had opgekeken als zijn piepende en knarsende harnas voorgoed uit elkaar was gevallen.

Het liefst had ze nu gevraagd: Welke wapens hebben we dan laten vallen? Ze hadden namelijk helemaal onbewapend voor de poort gestaan. Maar dat zou brutaal zijn en dus hield Ella zich in. Tenslotte had haar pleegmoeder haar opgedragen om alleen wat te zeggen als haar iets gevraagd werd. Bovendien had ze wel in de gaten dat Marta bijna de slappe lach had gekregen door het vreemde gedrag van de ridder.

'Mag ik een vraag stellen?' vroeg Ella daarom voorzichtig.

'Maar natuurlijk! Waarom niet?' antwoordde Rochus van Quinkenslag.

'Nou, van mijn pleegmoeder Marta mag ik alleen iets zeggen als...'

'Sapperloot! Ik kan wel horen dat je niet in een koeienstal geboren bent,' viel de ridder haar onbeleefd in de rede. 'Jouw pleegmoeder weet hoe het hoort als je aan het hof komt. En jij weet hoe je je moet gedragen tegenover een ridder. Dat bevalt me wel!'

Ella boog haar hoofd. Niet uit verlegenheid of beleefdheid,

maar omdat ze haar grijns wilde verbergen voor de ridder. Die zag er
inmiddels namelijk nog grappiger
uit en dat kwam door zijn
vreemde hoofddeksel. De
helm, die veel op een bord
leek, gleed namelijk steeds
verder naar achteren over
zijn hoofd, naar zijn nek toe.
En nu glansde de rand van het
bord achter zijn hoofd als de stra-
lenkrans van een heilige.

Rochus van Quinkenslag leek daar zelf nu
ook last van te hebben, want hij probeerde om met zijn zwaard
zijn helm weer recht op zijn hoofd te duwen. Met het resultaat
dat de helm vervolgens voor zijn ogen zakte. Maar de ridder
sloeg zich dapper door deze pijnlijke situatie heen.

'En?' vroeg hij onverstoorbaar, omdat hij nog steeds op Ella's
vraag wachtte.

'Ze wilde vragen…' – Marta nam het woord – 'of u haar niet
in dienst zou willen nemen. Ze kan bijvoorbeeld uw harnas
poetsen, zodat het net zo mooi gaat glimmen als uw prachtige

zwaard. Daarnaast kan ze goed koken, waardoor u nog sterker wordt dan u nu al bent.'

Rochus van Quinkenslag wiegde zijn hoofd heen en weer alsof hij diep nadacht. Of probeerde hij zijn helm in een andere positie te brengen? Die was nu namelijk opzij gegleden. Hoe dan ook, uiteindelijk vroeg hij: 'En wat gaat zij mij daarvoor betalen?'

'Wát?!' lachte Ella ongelovig. Ze was overal op voorbereid bij die vreemde vent, maar zoiets belachelijks had ze toch niet verwacht. 'Moet ik betalen om bij u te mogen werken?'

'Tenslotte is het een hele eer om een ridder te mogen dienen!' ging Van Quinkenslag verder.

Haar pleegmoeder wierp Ella een bestraffende blik toe en probeerde haar woorden af te zwakken. 'Wij hadden het ons inderdaad een beetje anders voorgesteld,' zei ze voorzichtig.

'En hoe dan wel?'

'We verwachten zeker geen grote bedragen. Maar wel een eerlijk loon voor eerlijk werk.'

Van Quinkenslag antwoordde: 'Wij hebben ons tot op heden op burcht Duivenkot ook zonder dienstmaagd gered, en dat zullen we in de toekomst zeker ook kunnen. Een schildknaap hadden we wel kunnen gebruiken. Een schildknaap die

aan onze zijde staat als we ridderlijke heldendaden gaan ver-
richten.'

'Misschien kan ik...' begon Ella. Maar haar pleegmoeder
zond haar een strenge blik toe om haar te herinneren aan haar
bevel.

'We hebben geen schildknaap te bieden,' zei Marta kortaf.
'Kom, Ella! Wij hebben ook onze trots.' Ze fronste haar voorhoofd alsof ze nadacht, schraapte haar keel en zei tegen Ella:
'Dan moeten we maar een ander huis zoeken voor jou en je
paard.'

Langzaam klom de oude vrouw weer op de ezel, terwijl Ella
met een elegante sprong op de rug van Arabesk wipte. Ze klak-
ten met hun tong en de dieren zetten zich in beweging. Maar
Marta moest blijkbaar nog iets doen, want ze trok hard aan de
teugels van haar ezel.

WAT MEER OVER DE PAARDEN EN HUN RUITERS

Arabesk en Ella – worden beiden vaak onderschat. Wie denkt: o, dat is maar een paard, of: o, dat is maar een meisje, die zal nog versteld staan…

De oude merrie Konigonde en ridder Rochus van Quinkenslag – de vraag is wie van hen tweeën het krakkemikkigst is. En wie het onhandigst…

De vos Attila en de schildknaap van vorst Kneusneus – zijn allebei vreselijk verwaand.

Het paard Hagan en vorst Kneusneus van Duistergrim – de een is nog gemener dan de ander.

Tristan de ezel en pleegmoeder Marta – twee eigenzinnige maar trouwe zielen.

'Wacht even!' riep de ridder verbaasd. 'Wilt u zeggen dat de dienstmaagd samen met haar paard bij mij in dienst komt?' Hij bekeek Arabesk met een hebberige blik, want hij had meteen gezien dat het een buitengewoon mooi en waardevol raspaard was.

Misschien zelfs een arabier? De hengst zag er een beetje geheimzinnig uit met die witte vlinder op zijn voorhoofd. Zijn vacht was zo diepzwart dat er in de zon een blauwe glans over lag.

Het leek haast wel of hij iets magisch had, vond de ridder. Hij raakte helemaal in de ban van het mooie dier.

Ella rukte Rochus van Quinkenslag uit zijn gedachten: 'Natuurlijk blijft hij bij mij, waar anders?' Ze deed haar best om niet al te minachtend naar de ridder te kijken.

'Maar dan komt alles in een heel ander licht te staan!' riep de ridder. Hij liet zijn zwaard vallen, trok de lastige helm van zijn hoofd en rende achter hen aan. 'Stop! Stop! Wacht toch even op mij! We moeten hierover onderhandelen...'

De ridder kwam rammelend en struikelend achter hen aan.

Maar Marta en Ella reden onverstoorbaar verder, zonder nog over hun schouder te kijken.

Waarschijnlijk heb je het *allang door: Marta en Ella reden zo langzaam om de kuchende ridder de kans te geven hen in te halen. Want pleegmoeder Marta wilde eigenlijk verder onderhandelen. Maar die domme ridder moest niet denken dat hij Ella en het paard zomaar zou krijgen, dacht Marta. Eerst moest hij een fatsoenlijk bod doen... Marta was namelijk een slimme vrouw. Net als de meeste mensen in de middeleeuwen kon ze niet lezen en schrijven, maar ze begreep wel wat van het leven en vooral van de mensen...*

Achter hen hapte de arme ridder kuchend naar lucht. Met een korte blik controleerde Marta of hij hen nog wel in kon halen. Tenslotte was hij niet erg fit.

In een poging zo snel mogelijk te lopen, worstelde de ridder met zijn harnas. Dat verdween stukje bij beetje. Zijn linkerarm hield hij echter nog steeds omhoog. Nu pas begreep Ella's pleegmoeder dat hij dit niet vrijwillig deed. Het scharnier van zijn arm was helemaal verroest en daardoor bleef zijn arm recht naar boven staan.

De arme held! Het was maar goed dat hij niet wist hoe zielig hij eruitzag.

Maar zou deze armzalige figuur hen nog kunnen inhalen?

HET DERDE HOOFDSTUK,

waarin een raadselachtige amulet opduikt

'Stop! Stop!' riep de ridder hun na. 'Nu ik er nog eens over nadenk, kunnen we toch wel een dienstmaagd gebruiken.'

Ella antwoordde: 'En nu ik er nog eens over nadenk, kunt u waarschijnlijk vooral mijn paard gebruiken.'

Marta wist dat Ella gelijk had, maar wierp haar toch een bestraffende blik toe. Langzaam liet ze haar ezel stoppen en riep: 'Dus u bent van mening veranderd? En hoeveel betaalt u dan?'

Die vraag leek hard aan te komen bij de ridder, want hij vertrok zijn gezicht alsof hij plotseling vreselijke kiespijn had gekregen.

'Het loon...' stamelde hij, '... het loon is... gratis eten voor mijn dienstmaagd, en een eigen kamer, niet in de stal, maar in

onze prachtige toren... en... met kerst ook nog een nieuwe jurk... en...'

'En...?' drong pleegmoeder Marta aan.

Pleegmoeder Marta was *een uitgekookte vrouw. Want eigenlijk was ze heel tevreden met het resultaat van de onderhandeling. Gratis eten was al een hele luxe, want Ella en zij wisten de laatste tijd vaak niet hoe ze hun buik vol moesten krijgen. En dan nog een jurk met kerst... Marta kon zich niet eens herinneren dat Ella ooit een nieuwe jurk had gehad. Alleen maar schorten en rokken die waren gemaakt van oude lompen.*

De ridder leek even met zijn gedachten ver weg en keek dromerig naar Ella's paard.

'En...?' Marta's stem rukte de burchtheer uit zijn dromen en maakte duidelijk dat ze nog steeds op antwoord wachtte.

De ridder wilde zijn bod nog verder verhogen en zei na een korte aarzeling: 'En... en elk tweede jaar krijgt ze met Pasen nieuwe schoenen…'

'Van leer of van hout?'

'Als het lukt van leer. En… ze mag zelfs onze edele was doen, ik bedoel: het fijne Brusselse kant wassen.'

'Ze mág!' merkte Ella kattig op en ze rolde met haar ogen. Maar na een strenge blik van haar pleegmoeder hield ze verder haar mond.

'En…?'

'En… ik weet niet,' stotterde de ridder gekweld.

Pleegmoeder Marta liet zich snel van haar ezel glijden en stak haar hand uit naar Van Quinkenslag, voordat hij spijt kreeg van zijn aanbod. Ze wist precies hoe je een eind moest maken aan zo'n spelletje.

'Afgesproken?'

'Afgesproken!' antwoordde de oude ridder zichtbaar opgelucht. Met een klap sloeg hij op haar hand.

Daarna nam Rochus van Quinkenslag Marta en Ella mee zijn burcht in. Hij had Arabesk aan de teugel alsof het zijn eigen paard was. Ella liet hem zijn gang gaan en fluisterde alleen wat geruststellende woordjes in het oor van Arabesk. Haar paard leek het er namelijk niet mee eens te zijn. Maar Ella wilde het succes dat Marta had geboekt niet in gevaar brengen. Ze voelde zich verplicht om nu geen moeilijkheden te veroorzaken.

'Voor hoeveel mensen moet ik – ik bedoel, mág ik – wassen en koken?' vroeg ze, voor ze bij de poort van de burcht waren aangekomen.

'Eh... slechts voor ons,' antwoordde de ridder.

'En hoeveel zijn dat er: ons?'

De ridder leek even na te denken en antwoordde toen: 'Brandewijn of kattenpies! Als ik er goed over nadenk, zijn *wij* alleen ik.'

'Dus u bent de enige die in deze burcht woont? U bent hier helemaal alleen?'

De ridder knikte.

'Maar... u zei toch steeds *wij*?'

'Dat was een list! Een slimme ridderlist van ons. Begrijp je wel? Wij wilden jullie laten geloven dat er een heleboel strijders achter de deur op de loer lagen.'

'Maar nu zegt u weer *wij*!'

'In dit geval bedoelen we *ik*. Zo praat men nu eenmaal aan het hof. Daar zul je gewoon aan moeten wennen.'

Ze kwamen bij de poort. Haar nieuwe heer gebaarde dat Ella moest afstijgen en hij nam Arabesk meteen mee naar de paardenstal binnen de bouwvallige muren van de burcht.

Hier stond ook nog een oude knol, die met doffe blik naar de binnenkomers keek. Zodra ze de oude merrie zag, begreep Ella waarom de ridder zo onder de indruk was van Arabesk. Het arme dier was sterk vermagerd en had bovendien een verband om haar ene been.

Marta stond in de opening van de staldeur en schraapte haar keel. Ella begreep meteen dat het moment om afscheid te nemen was gekomen.

Langzaam liep ze met haar pleegmoeder naar buiten, de binnenplaats op.

'Ik wil het maar snel achter de rug hebben,' zei Marta en ze gaf Ella een kleine, opgerolde bundel.

Nieuwsgierig pakte Ella hem uit. Er kwam een handzame, slanke dolk tevoorschijn. De handgreep was versierd met fonkelende blauwe edelstenen. Ella hield haar adem in. Ze had nooit geweten dat ze zoiets waardevols bezaten.

'Die dolk is van je vader geweest,' verklaarde haar pleegmoeder kort. 'Hij is al generaties lang doorgegeven van vader op z...' Marta aarzelde even en ging toen verder: '... van vader op kind. Het is een van de weinige dingen uit zijn nalatenschap en ik wil dat hij nu officieel aan jou...' Hier moest Marta even slikken omdat haar stem haar in de steek liet, '... wordt doorgegeven…'

Ella verstond niet alles, omdat haar pleegmoeder de woorden inslikte en tegen haar tranen vocht. Toen Ella haar wilde omhelzen, duwde Marta het meisje voorzichtig opzij, tastte onder haar wambuis en hengelde een amulet aan een ketting tevoorschijn. Het was de helft van een groter sieraad, maar het was duidelijk te zien hoe schitterend het geweest moest zijn. Het leek van mas-

sief zilver, met allerlei tierelantijnen. Tussen de krulversieringen zaten twee fonkelende blauwe saffieren.

Marta hing hem om Ella's hals. 'Als het lot dat wil, zul je het ooit begrijpen.'

'Wat bedoel je daarmee?' wilde Ella weten terwijl ze het duidelijk doormidden gebroken sieraad bekeek.

Maar haar pleegmoeder schudde alleen haar hoofd en omhelsde haar vervolgens zo stevig ten afscheid dat het bijna pijn deed. Daarna draaide Marta zich om, steeg moeizaam op de ezel en reed weg.

Ella's blik was wazig van de tranen toen ze haar pleegmoeder nakeek. 'Zal ik je ooit nog terugzien?' riep ze voor Marta om de bocht verdween.

'Natuurlijk!' antwoordde haar pleegmoeder en haar stem klonk alweer wat vaster. 'Ik kom uiterlijk met Pasen! Ik moet toch zien of je wel nieuwe schoenen hebt gekregen en of de ridder woord heeft gehouden. Doe hem de groeten van mij!'

De ezel maakte een sprong alsof zijn berijdster aan zijn oren had getrokken om hem sneller te laten lopen.

En dat was waarschijnlijk ook zo.

Ella stond nog een tijdlang voor de half ingestorte burcht naar de bocht te staren waarachter Marta was verdwenen. Toen liep ze langzaam terug naar binnen.

Haar nieuwe heer Rochus van Quinkenslag stond nog steeds in de stal. Hij kon blijkbaar geen genoeg krijgen van het raspaard dat nu onder zijn dak woonde.

'Wat een mooi paard, hè?' vroeg ze om de brok in haar keel weg te krijgen.

'Voorwaar een prachtig dier! En het komt zo goed uit! Hij komt precies op tijd. We zullen met hem op het grote toornooi op burcht Clearmont rijden. Vorst Radbout Kneusneus van

Duistergrim en de andere edele heren zullen groen zien van jaloezie!'

'Op een echt toernooi?' riep Ella meteen laaiend enthousiast. Haar hart bonsde van opwinding. Ze kreeg haast geen adem, zo blij was ze, en er schoten wilde, kleurige beelden door haar hoofd.

'Natuurlijk is het een echt toernooi!' knikte de ridder. 'Er zijn misschien onechte ridders, maar geen onechte toernooien!'

'Dus we gaan naar een toernooi,' zei Ella verbijsterd. Ze klopte Arabesk op zijn hals. 'En wat moet ik daar aantrekken…?'

'Wacht even!' viel de ridder haar in de rede. 'Ik zei dat *wij* naar een toernooi gaan! *Wij*, niet jij!'

'Bedoelt u dat ik niet mee mag?'

'Precies!'

'Maar ik dacht… omdat u 'wij' zei,' stamelde Ella.

'Inderdaad, ik zei *wij*. En *wij* betekent…'

'U!' begreep Ella. Niet alleen haar stem klonk teleurgesteld. Ze liet haar hoofd hangen om de ridder niet te hoeven aankijken.

Rochus van Quinkenslag ging op een wijsneuzig toontje verder: 'We zijn op het hof en daar…'

'... zegt men niet *ik* maar *wij*,' maakte Ella de zin af.

'Dat geldt natuurlijk alleen voor edelmannen en jonkvrouwen.'

'Ik begrijp het,' zei Ella tandenknarsend.

De ridder pakte de teugel van Arabesk. Nu kon Ella zich niet meer inhouden. Tenslotte was het haar paard! Ze ademde diep in en zei: 'Als u bedoelt dat u zomaar met mijn paard naar dat toernooi kunt rijden, denk ik toch dat u zich vergist. En met *u* bedoel ik *jullie*. U heeft ons namelijk niets gevraagd en met *ons* bedoel ik *ons*! Ik bedoel, als ik *ons* zeg, dan heb ik het over ons tweeën. Volgens mij zijn wij het nog niet met elkaar eens. En met *wij* bedoel ik *wij*. Want als wij het over *wij* hebben, dan weten we dat we daarmee *ons* bedoelen. Ik ben ik en wij zijn wij, en als ik *wij* zeg, dan bedoel ik *wij*. En met *u* bedoel ik niet *jullie*, maar *u*. Begrijpt u dat?'

De ridder keek Ella met open mond aan. Het was duidelijk dat hij er helemaal niets van begreep. 'Eh... wij, u... ons, jullie,' stamelde hij.

Ella schrok. Ze was vreselijk tekeergegaan tegen haar heer – dat was natuurlijk helemaal niet toegestaan voor een dienstmaagd. Opeens was ze bang dat de ridder haar eruit zou gooien. Wat moest ze dan, hier in haar eentje op een onbekende plaats?

Misschien zelfs zonder Arabesk. En haar pleegmoeder was waarschijnlijk al lang de bergen over. Daarom krabbelde Ella snel terug: 'U had het op zijn minst kunnen vragen…'

Daar moest Rochus van Quinkenslag even over nadenken. Deze dienstmaagd was echt heel vreemd. Maar ze maakte wel indruk op hem.

Na een kort beraad maakte de ridder een buiging voor Ella en

vroeg op vleiende toon: 'Mijn beste meisken, zou je mij willen toestaan om met jouw edele rijdier naar een toernooi te gaan?'

En voor Ella kon antwoorden, voegde hij er nog aan toe: 'Ik beloof dat ik de eventuele prijs die ik zal winnen, eerlijk met je deel.'

Ella knikte. Dat was in elk geval een kleine troost. Toch moest ze wel even slikken. Haar droom om een echt toernooi mee te maken, kon ze vergeten. Een dienstmaagd werd nu eenmaal niet meegenomen naar een toernooi. Dat was nergens de gewoonte.

'Zal ik eerst maar eens iets te eten voor ons maken?' vroeg ze om over een ander onderwerp te beginnen.

De ridder keek zijn nieuwe dienstmaagd van opzij aan en vroeg: 'Wat bedoel je met *ons*? Ons, of jou en je paard?'

'U en ik!' lachte Ella. 'Volgens mij zal een beetje eten ons goeddoen.'

Zo gezegd, zo gedaan. Haar heer liet haar zien waar de keuken was en ze maakte eerst vlug het vuur aan. Daar was ze heel handig in en al snel laaiden de vlammen op in de grote haard. Toen keek ze eens goed om zich heen. De keuken was reusachtig, ongeveer tien keer zo groot als het bescheiden hutje van Marta. Boven de haard hing een enorme koperen ketel, die betere tijden had gekend. In een rek stonden nog een roestige pan en een aardewerken kom met een barst erin. Maar wat had je aan een grote keuken als er geen voorraden in stonden waarmee je iets kon koken? Gelukkig vond ze in een kast nog een oud stuk brood.

Ella dacht even na en er gleed een lach over haar gezicht. Ze had op de afgebrokkelde muren van de binnenplaats toch een heleboel duivennesten gezien? En deze burcht heette toch Duivenkot? Waar nesten waren, waren ook...

Nu wil ik toch *weer even iets uitleggen. Misschien vind je het niet zo vreemd dat Ella zo goed de weg wist in de keuken en in haar eentje wilde gaan koken. Misschien denk je wel: ik kan ook pasta koken, dat is toch niets bijzonders. Maar probeer je eens voor te stellen wat je in de middeleeuwen allemaal moest doen om een maaltijd te bereiden. Eerst moest je het vuur in de haard aanmaken. Als je melk nodig had, moest je een koe of geit melken. En voor meel moest je graan malen. De ridder had dus heel veel geluk dat Ella dat op haar leeftijd allemaal al kon...*

Ella rende naar buiten en klom zonder ladder snel tegen de brokkelige muur omhoog. Ze hees zichzelf erbovenop en keek om zich heen. En ja hoor! 'Het spijt me echt dat ik jullie eieren moet pakken,' troostte Ella de duiven, die paniekerig om haar heen vlogen. 'Maar volgens mij zijn onze magen leger dan jullie nesten. En jullie kunnen wel weer nieuwe eieren leggen.'

Even later lag er iets heerlijks in de pan te bakken, dat Ella had gemaakt van het oude brood, de eieren en een beetje melk.

RECEPT

'de arme ridder'

Een heerlijke maaltijd voor ridders en jonkvrouwen, die ook voortreffelijk smaakt met andere eieren dan duiveneieren.

Dit heb je nodig:

4 oude (of geroosterde) boterhammen

2 eieren

een kopje melk

suiker

kaneel

boter

Klop de eieren los in een diep bord of in een ondiepe kom. Voeg de melk en de suiker toe en klop alles door elkaar met een vork. Leg de boterhammen in het ei-melk-suiker-mengsel tot ze helemaal doordrenkt zijn.

Smelt dan de boter in een koekenpan en bak de natte boterhammen aan beide kanten tot ze mooi bruin zijn.

Leg ze op een mooi bord en strooi wat suiker en kaneel over 'de arme ridder'. In goede tijden kun je er ook jam of appelmoes bij doen.

Eet smakelijke!

'We zijn verrukt!' riep Rochus van Quinkenslag toen hij het heerlijke eten proefde. 'We denken dat we een goede keus hebben gemaakt met onze dienstmaagd. Je bent het... op één na beste paard van stal!'

Ella rolde met haar ogen. Deze ridder was allesbehalve hoffelijk.

Die nacht sliep Ella in de toren. De ridder had haar een kamer gegeven die helemaal onderin lag, naast de keuken. Met schoon stro was er een bed gemaakt. Ella had geen meubels, alleen een krukje waar ze haar weinige bezittingen op had gelegd.

Het duurde lang voor ze de slaap kon vatten. Er spookte zo veel door haar hoofd. De reis, het afscheid van Marta, haar nieuwe werk in deze armzalige ridderburcht. Ella drukte het raadselachtige geschenk van haar pleegmoeder tegen haar hart. De halve amulet. Wat had die te betekenen? Ella nam zich voor om daarachter te komen... Vroeg of laat.

Wat ze niet wist, was dat de raadselachtige zoektocht naar het geheim van de amulet al heel gauw zou beginnen.

HET VIERDE HOOFDSTUK,

waarin Ella een stuk dichter bij haar droom komt

De volgende morgen bij het eerste kraaien van de haan sloop Ella de stal in om Arabesk te borstelen.

'Je vacht glanst prachtig. De ogen van alle mensen op het toernooi zullen net zo hard glanzen als ze jou zien,' zei ze dromerig.

Op dat moment werd de vredige stilte verstoord door een luid gestommel. 'Ridderscheet en trappenleed!' vloekte Van Quinkenslag terwijl hij krakend van de trap af rolde.

Ella beet op haar lip om niet in lachen uit te barsten. Ze zag dat de ridder zich weer in zijn roestige harnas had geperst. 'Goedemorgen, edele heer,' zei ze. 'Een ogenblikje alstublieft!' En ze verdween in de keuken.

'Eigenlijk is het zonde om het hiervoor te gebruiken,'

mompelde ze, terwijl ze de pot met varkensvet pakte. Daarmee vette ze het harnas van de ridder in. Daarna gebruikte ze al haar kracht om de scharnieren los te wrikken, door ze steeds heen en weer te bewegen. Rochus van Quinkenslag liet alles kreunend en steunend over zich heen komen. Uiteindelijk kon hij met een tevreden zucht zijn linkerarm naar zijn natuurlijke positie laten zakken.

'Dank je! Wij hadden zelf ook al het idee om dit te doen. Maar helaas hadden we geen olie,' beweerde hij.

'Met varkensvet kun je hetzelfde bereiken,' verklaarde Ella.

De ridder knikte en probeerde meteen of alle scharnieren goed werkten, waarbij hij kniebuigingen maakte en zijn armen strekte en weer boog. Opeens rimpelde hij zijn neus. 'Maar mijn lieve varkensscheetje, nu ruiken we naar een feestgebraad,' jammerde hij.

Ella haalde haar schouders op. 'Je kunt niet alles hebben.'

Er gleed een slim lachje over het gezicht van de ridder. Luid snoof hij de lucht van het varkensvet op en zei: 'Ha! Met deze listige riddertruc zullen wij onze vijand in verwarring brengen, omdat ze steeds denken dat ze een lekker braadstuk ruiken! Maar het is ijzergebraad... en daar zullen ze hun tanden op stukbijten! Paardenvoet en schoorsteenroet!'

EEN LIJST VAN VLOEKEN

van ridder Rochus van Quinkenslag

Verrotte paardentanden nog aan toe! pag. 26

Gruwelbot en duivenkot! pag. 26

Dit miezerige ezelsnot-harnas… pag. 27

Driedubbele stinkvoeten nog aan toe! pag. 28

Brandewijn of kattenpies! pag. 44

Ridderscheet en trappenleed! pag. 59

Maar mijn lieve varkensscheetje… pag. 60

Paardenvoet en schoorsteenroet! pag. 60

Heilige bimbam, pag. 73

Paddenkots en riddertrots! pag. 74

Donderscheet en mierenbeet, pag. 125

'Zo is het!' lachte Ella, terwijl ze de ridder op Arabesk hielp. Stiekem grinnikte ze een beetje toen ze het angstige gezicht van Van Quinkenslag zag. Waarschijnlijk had hij nog nooit op zo'n hoog paard gezeten.

'Pas goed op uzelf! En veel succes op het toernooi!' riep Ella toen de ridder op het punt stond om weg te rijden. 'Ik verheug me nu al op mijn deel van de hoofdprijs.'

'We zullen overwinnen! Zo waar als onze naam Rochus van Quinkenslag is. Je zult de triomfmuziek helemaal hier kunnen horen!' zei hij plechtig.

Toen gaf hij Arabesk de lange teugel en probeerde met zijn tong te klakken. Maar het klonk meer als een kurk die uit een fles werd getrokken. Arabesk keek Ella verward aan. Weer tuitte de ridder zijn lippen en perste er een geluid uit. Nu leek het meer op een knallende kurk.

Ella probeerde haar lachen in te houden.

Maar Arabesk schraapte ongeduldig met zijn hoef over de grond.

Uiteindelijk fluisterde Ella in het oor van haar grote vriend: 'Wil je de ridder naar het toernooi toe brengen? Zo snel als de wind!'

Arabesk hinnikte instemmend en steigerde, zodat Van

Quinkenslag bijna van zijn rug af viel. Daarna liet Arabesk zien wat hij in zijn mars had en galoppeerde ervandoor.

Ella bleef hen nakijken tot ze alleen nog een stofwolk zag.

Ella zuchtte diep en ging op zoek naar een bezem. Ze vond er eentje van wilgentakken, die er nog verbazend goed uitzag. Waarschijnlijk omdat hij nooit werd gebruikt.

In gedachten verzonken deed ze haar werk. Nu kon ze een paar dagen lang niets anders dan vegen en schoonmaken.

Na een poosje was de binnenplaats aangeveegd, de trap van de toren was weer netjes en de keuken blonk haar tegemoet. Ze had de vuurplaats schoongemaakt, de as naar buiten gebracht, en de pan en de ketel afgewassen. Ella wist niet precies hoelang ze bezig was geweest, toen ze opeens opschrok van een stem. Haar schrik duurde maar even, want meteen begreep ze van wie die stem was.

Op deze plaats wil ik toch weer even iets uitleggen. Je hebt misschien al gemerkt dat Ella vaak met haar paard praatte. Dat is eigenlijk niet zo bijzonder. Er zijn zo veel ruiters die tegen hun paard praten. Maar je zult het niet geloven: Ella kreeg ook antwoord van Arabesk. Zij was de enige die zijn stem kon horen, in haar hoofd. Als een soort telepathie. Toen ze klein was, dacht Ella altijd dat zoiets normaal was. Maar als ze het aan haar pleegmoeder vertelde, lachte die alleen maar en zei dat haar fantasie op hol sloeg. Daarom had Ella het sindsdien aan niemand meer verteld. En dus wist ook niemand dat Arabesk veel meer was dan Ella's paard. Hij was namelijk haar allerbeste vriend en ze kon geweldige gesprekken met hem voeren.

'Doe eens open, Ella. Ik heb een vreselijke dorst,' riep Arabesk, die blijkbaar voor de poort stond. Hij brieste ongeduldig.

Ella had niet verwacht dat haar heer al zo snel terug zou zijn. Ze gooide de bezem in een hoek, rende naar de poort en schoof de grendel open om hem en Arabesk binnen te laten.

Maar wat was dat? Er zat niemand op de rug van haar paard.

'Waar is de ridder gebleven?' vroeg ze geschrokken.

'Ik heb hem naar het toernooi gebracht, zoals ik beloofd had,' zei Arabesk in zijn eigen taal, die alleen Ella begreep.

'Hij wilde toch met jou op het toernooi strijden!' merkte Ella op.

'Maar dat wilde ik niet!'

'Hoe bedoel je?' vroeg Ella.

'Nou, dat ik het niet wilde. Bovendien heb je alleen maar gezegd dat ik hem naar het toernooi moest brengen, en dat heb ik gedaan.'

Ella klopte het stof van zijn rug en zei: 'Je wist echt wel wat ik bedoelde. Waarom doe je zo dwars?'

'Ik had beloofd om hem daar af te zetten. Al ging het misschien wel iets te snel voor die slome ouwe.'

'Iets te snel?'

'Nou ja, hij is er zo'n beetje af gesprongen… niet helemaal vrijwillig misschien. Dan had hij zich maar beter moeten vasthouden.'

'En toen?'

'Ben ik weer naar jou toe gekomen. Niet meteen natuurlijk…'

'Wat dan?'

 67

'Eerst heb ik even gekeken of hij niet gewond was geraakt bij het afstijgen…'

'En was dat zo?'

'God had het beste met hem voor. Hij stuurde meteen een monnik naar hem toe!'

'Een monnik?' Nu schrok Ella pas echt. 'Was hij zo ernstig gewond dat hij de ziekenzalving nodig had?' Dat werd alleen gedaan bij mensen die op sterven lagen.

'Ach nee, het was alleen een kleine zegening. Het was ook maar een kleine monnik die zich om hem bekommerde.'

'Je spreekt in raadsels. Wat bedoel je nou? Moet ik me nu zorgen maken over de ridder of niet?' Ella voelde hoe de paniek bezit van haar nam.

'Ik kan je wel naar hem toe brengen,' stelde Arabesk voor. En na een korte pauze: 'Dan heb je meteen een goed excuus om naar de burcht van de vorst Van Duistergrim te rijden. En als je daar toch bent, kun je ook wel het toernooi bezoeken, niet-waar?'

Ella lachte opgelucht en zei: 'Je zou haast denken dat je dit heel listig zo hebt geregeld voor mij!'

Daar bracht Arabesk niets tegen in. Hij brieste en ging op zoek naar zijn drinkbak om zijn dorst te lessen.

Razendsnel maakte Ella een plan. Eigenlijk had ze er die nacht al over liggen nadenken. Ze had alleen nog niet de kans gehad om haar gewaagde idee uit te voeren. Maar nu was het moment gekomen!

Snel verkleedde ze zich. De broek van de ridder was wel een beetje groot en het felblauwe hemd van Brussels kant was iets te wijd, maar dat gaf niets...

Nu vraag je je *natuurlijk af wat er zo gewaagd was aan dat plan. Dat zit zo: meisjes waren in de middeleeuwen niet veel waard. Jongens of mannen hadden veel meer vrijheid en veel meer mogelijkheden. Ella was nieuwsgierig en ze wilde graag in actie komen en daarom wist ze meteen wat ze moest doen: ze moest een jongen worden. Dat ruimde alle belemmeringen uit de weg...*

Toen was er nog één ding dat Ella moest doen en daarvoor gebruikte ze haar nieuwe dolk. Rits, rats, met één beweging, zonder te aarzelen, sneed ze haar lange haren af. Ze stak de dolk tussen haar riem en riep: 'Eerwaarde ridder,

uw schildknaap schiet te hulp!' Trots streek ze het hemd, waar duiven op waren geborduurd, glad. 'Eller is de naam, zeer vereerd! Mijn kleding is van de edelste materialen gemaakt, zoals verwacht mag worden bij een knaap van stand.' Zacht fluisterde ze erachteraan: 'Het is maar goed dat moeder Marta me zo niet ziet. Ze was altijd zo trots op mijn lange haar.'

Het volgende moment zat ze in het zadel. Arabesk kende de weg en ook hij leek haast te hebben.

HET VIJFDE HOOFDSTUK,

waarin Ella door de bliksem wordt getroffen en toch niet gevaarlijk gewond raakt

Gelukkig had de slimme Arabesk de weg goed onthouden. Na een lange rit hoorde Ella eindelijk muziek. En toen ze de volgende bocht om galoppeerde, zag ze ineens burcht Clearmont voor zich liggen. De burcht had machtige torens en een indrukwekkend grote poort, waarvan de ophaalbrug uitnodigend was neergelaten. Het was een prachtig gezicht. Kleurige vaandels wapperden hoog op de kantelen in de wind. Ella's hart begon sneller te kloppen. Daar in burcht Clearmont werd het toernooi gehouden. Ella kon haast niet wachten tot ze alles kon bekijken.

Ella liet Arabesk in draf gaan en reed in een rustig tempo naar het feestterrein. Uit alle richtingen kwamen de mensen toestromen en Ella voegde zich bij de stoet die zich in de richting van de openstaande poort bewoog.

'Afstijgen!' droeg de poortwachter haar nors op.

Ella had de wachters niet eens opgemerkt, en trouwens ook niet verwacht in deze gezellige drukte. Gehoorzaam deed ze wat hij gezegd had en ze liep door de poort, met Arabesk aan de teugel achter zich aan.

Hier binnen de muren van de burcht kwam de muziek van alle kanten. Het leek wel of de muzikanten een wedstrijd deden wie de meeste toehoorders om zich heen kon verzamelen. Betoverende geuren dreven door de lucht. Geuren die Ella nog nooit in haar leven had geroken. En overal waren mensen. Eenvoudige boeren, maar ook feestelijk uitgedoste mannen en vrouwen. Koopmannen in marktkramen prezen luidkeels hun waren aan. Waarzeggers boden met mooie woorden hun diensten aan. Bont geklede goochelaars liepen druk heen en weer en probeerden de bezoekers naar hun volgende voorstelling te lokken.

Ella wist niet waar ze het eerst moest kijken. 'Hoe moet ik mijn heer ooit vinden tussen al deze mensen?' vroeg ze zich af, maar Arabesk wist daar wat op.

'Ik breng je wel naar de plaats waar ik hem, eh… heb afgezet. Misschien wordt hij nog verpleegd door die monnik.'

Ella knikte en liep achter haar paard aan door het gedrang. Toen ze toch weer even was blijven staan om gefascineerd naar een vuurspuwer te kijken, hoorde ze opeens een vertrouwd gemopper. En meteen begreep ze dat het allemaal wel meeviel met haar heer.

'Heilige bimbam, haal je gezalfde handen van mijn ridderlijf,' tierde Rochus van Quinkenslag.

'Om te beginnen zijn mijn handen nog niet met zalving gewijd en verder wil ik u toch alleen maar hélpen!' klonk de stem van een jongen. 'Een val van een paard kan lelijk uitpakken.'

'Een val van een paard? Laat me

niet lachen! Heb je nog nooit van Venetiaans afstijgen gehoord? Dat is een techniek die slechts weinig ridders bij de gratie Gods beheersen. Dat zou jij als Gods dienaar toch moeten weten!'

'Venetiaans afstijgen?'

De oude ridder legde het uit: 'Bij deze ridderlijke afstijgtruc stijgt de ridder niet af aan de zijkant van zijn paard, en ook niet van achteren. Nee! Hij maakt een dappere sprong over het hoofd van zijn edele ros. En op die manier springt hij op zijn tegenstander af.'

'En maakt vervolgens een onvrijwillige landing!' eindigde de jongen zijn verhaal.

'Maar dat is uitsluitend bedoeld om zijn tegenstander in verwarring te brengen,' verklaarde Van Quinkenslag.

'En daarbij valt hij in katzwijm,' zei de jongen in het monnikshabijt spottend.

'Paddenkots en riddertrots! Dat was natuurlijk ook een listige riddertruc van ons.' Rochus van Quinkenslag wond zich steeds meer op. 'Wij deden alleen maar alsóf wij sliepen, om de tegenstander een vals gevoel van veiligheid te geven en dan op het juiste moment genadeloos toe te slaan.'

Hoewel Ella al het een en ander gewend was van haar heer, rolde ze toch met haar ogen toen ze dat verhaal hoorde.

Venetiaans afstijgen

Deze meesterlijke manier van afstijgen vereist veel moed en handigheid van de ridder. Hij stijgt niet af aan de zijkant van zijn paard, maar aan de voorkant. Zo springt hij zijn tegenstander tegemoet.

Beste kinderen: Probeer dit niet zelf!

Intussen had Ella genoeg tijd gehad om de jongen in de vreemde kleren wat beter te bekijken. Hij droeg een habijt, net als de monniken uit het klooster, maar zo te zien was hij niet ouder dan zijzelf.

Eigenlijk was dat niet gebruikelijk. Normaal gesproken droegen alleen volwassen monniken een habijt. Dat betekent dat er iets bijzonders aan de hand was met deze jongen...

De jonge monnik boog zich over de ridder, die nog steeds op de grond lag. Toen draaide hij zich om en keek recht in Ella's heldere blauwe ogen. Zijn ogen waren net zo blauw en zijn blik trof Ella als een bliksemschicht. Haar knieën werden slap. Verward staarde ze hem aan. Ook de jongen kon blijkbaar geen woord uitbrengen. Allebei tegelijk voelden ze iets magisch. Zo'n gevoel alsof ze elkaar al jaren kenden en alsof ze bij elkaar hoorden. Allebei konden ze maar één ding denken: WIE BEN JIJ?

Maar de ridder verbrak de betovering en bulderde naar Ella: 'Hé, luizenjoch, hoe kom jij aan ons paard?'

Het meisje kwam weer in beweging en grijnsde. 'Weet u wel zeker dat het uw paard is?' antwoordde ze toen brutaal.

Van Quinkenslag keek verbaasd op. Hij herkende die stem! Hij kneep zijn ogen samen om beter te kunnen zien en bekeek Ella nauwlettend. 'Wat is dat voor hemd? Is dat niet van edel Brussels kant, waarvan wij ook een hemd in onze schatkamer hebben liggen? En die broek komt ons ook bekend voor!'

'Ik heb het hemd geleend van de dapperste en beste ridder onder de zon,' antwoordde Ella snel. 'En daarom zal ik er ook heel voorzichtig mee zijn. Tenslotte moet hij trots zijn op zijn schildknaap!'

De ridder lachte sluw en zei: 'Zo te horen heb jij een geweldige heer getroffen. Hij zou vast graag horen hoe je over hem opschept. Ik vraag me alleen af wat hij van je haardracht zou vinden…'

Ella gaf haar heer een knipoog. 'Bedoelt u dat hij zo'n monnikskapsel mooier zou vinden?'

'Dat zeker niet,' lachte de ridder en hij kneep ook één oog dicht naar Ella, ten teken dat hij haar eindelijk had herkend.

'Vindt u mijn tonsuur niet mooi?' vroeg de jonge monnik. Hij leek nog steeds in gedachten verzonken en bleef Ella onafgebroken aanstaren. Nu streek hij over zijn hoofd.

Wat een tonsuur is, vraag je? Dat is een kleine, ronde schijf die boven op het hoofd wordt kaalgeschoren. Er waren veel monniken die hun haar zo droegen. Op die manier kon iedereen meteen zien dat ze mannen van God waren.

Ook tegenwoordig wordt het nog wel gedaan. Heb jij ook wel eens een monnik met een tonsuur gezien?

Het gesprek werd onderbroken door een luid trompet-geschal.

'Het toernooi begint!' riep Rochus van Quinkenslag en hij richtte zich op. 'Kom, schildknaap, breng me naar het strijd-perk.'

Dolgelukkig wilde Ella doen wat hij haar verzocht had. Ze hielp hem overeind en gaf hem de teugel van haar paard. Maar de jonge monnik maakte een eind aan hun enthousiasme. Hij zei tegen de ridder: 'Ik ben bang dat u te laat bent. Terwijl u in diep katzwijm verzonken was... ik bedoel, eh... terwijl u zich slapende hield, heeft u het toernooi gemist. Dat waren de trom-petten die het eind van het hoofdtoernooi aankondigden!'

'Gemist? Hoe kun jij dat nou weten?' vroeg de ridder teleur-gesteld.

'Ik heb het gelezen. De regels van het toernooi zijn voor iedereen in te zien.'

Van Quinkenslag keek even verbaasd. 'Dan is het kostbare harnas dat de hoofdprijs vormde, dus al vergeven?' vroeg hij lusteloos en hij leek weer in katzwijm te willen vallen.

'Ja, helaas!' zei de monnik. Hij zag de bittere teleurstelling op het gezicht van de ridder. 'Er is nu alleen nog een maliënkolder te winnen.'

'Komaan, dan halen we die vermaledijde maliënkolder!' riep de ridder. Hij hees zich moeizaam op de rug van Arabesk en deed een jammerlijke poging om met zijn tong te klakken en zijn paard in beweging te zetten.

De monnik zei: 'Dan moet u uw schildknaap naar het toernooi sturen, want bij deze ronde worden alleen schildknapen toegelaten.'

Toen Ella dat hoorde, begon haar hart wild te kloppen. Zou ze nu misschien zelf mee mogen doen aan de strijd? Dat zou fantastisch zijn! Van opwinding werd haar gezicht knalrood. 'Alleen schildknapen?' vroeg ze ademloos.

'Zo staat het in de regels,' verklaarde de monnik.

Smekend keek Ella naar haar heer.

'Laten we die vermaledijde maliënkolder halen!' riep Rochus van Quinkenslag nogmaals. Hij liet zich van het paard glijden en gaf de teugels aan Ella.

'Dat wil ik zien!' riep de jongen enthousiast. 'Als u het me toestaat.'

Ella's hart sloeg nog sneller en ze maakte een uitnodigend gebaar.

De jonge monnik wachtte niet langer op toestemming van de ridder en sloot zich aan bij de twee toernooigangers. Ella ging een spannend uur tegemoet...

Het zesde hoofdstuk,

waarin een kleine monnik een grote poortwachter verslaat

Het strijdperk van het toernooi bevond zich buiten het feestterrein. Het was netjes afgezet, zodat alleen deelnemers en hun helpers in de arena konden komen. Rondom was het strijdperk versierd met vlaggen en aan één kant stond een verhoogde tribune voor eregasten, die zich al langzaam vulde. Tegenover de tribune stonden tenten voor de ridders, paarden en schildknapen. Daartussen waren al een paar deelnemers zich aan het voorbereiden op het toernooi.

Voor het gewone volk dat wilde kijken, waren er staanplaatsen rondom de arena. Er stonden al wat toeschouwers te wachten. En er stroomden er nog veel meer door de toegangsdeur naast de eretribune, waar vier wachters naast stonden.

Van Quinkenslag, de kleine monnik en Ella met Arabesk aan de teugel liepen op de deur af.

Een van de wachters ging voor hen staan. 'Halt! Hier mag u niet naar binnen. U bent niet aangemeld,' blafte de wachter hun toe.

'Wie zegt dat?' vroeg Rochus van Quinkenslag zelfbewust en hij strekte zich uit om zo groot mogelijk te lijken.

'Dat weet ik omdat alle aangemelde schildknapen en hun heren al binnen zijn, mannetje,' antwoordde de poortwachter. Hij maakte zich breed voor de magere ridder, zodat die tegen

zijn machtige borst aan keek. Zo was zonneklaar wat hij met 'mannetje' bedoeld had.

Maar de goede ridder was niet zo snel onder de indruk en antwoordde: 'Zo wil de vorst zich er waarschijnlijk van verzekeren dat zíjn schildknaap het niet tegen de onze hoeft op te nemen. Hij zal wel bang zijn dat iemand anders er met de prijs vandoor gaat!'

De wachter gaf geen krimp, maar klemde zijn hand wat steviger om zijn lans. Daaruit bleek duidelijk dat hij niet erg gelukkig was met dit brutale antwoord. 'Alle aangemelde deelnemers zijn er al! Het toernooi zal zonder jullie beginnen. Zo staat het in de regels,' stelde hij vast.

De jonge monnik deed een stap naar voren en wees naar een handgeschilderd, rijk versierd plakkaat dat naast de ingang hing. 'Maar hier staat dat iedereen mee mag doen. En hier staat ook dat degenen die zich niet tijdig hebben aangemeld, zich nog bij de hoofdpoortwachter kunnen melden. Onder bepaalde voorwaarden mogen ze dan toch nog meedoen.'

De wachter keek over zijn schouder en wierp een ongelovige en weifelende blik op het plakkaat. 'Dus...?' zei hij, maar hij klonk al niet meer zo zeker van zichzelf.

'Wie is de hoofdpoortwachter?' vroeg de monnik.

'Dat ben ik natuurlijk!' zei de man en zijn stem klonk weer vol zelfvertrouwen.

'U kunt toch wel lezen?' vroeg de monnik. 'En u weet hoe belangrijk het is om de eervolle regels van het toernooi te handhaven.'

De wachter knikte haastig en trok daarbij zijn schouders omhoog.

Begrijp je al wat er aan de hand was? Dat was een slimme zet van de kleine monnik. In de middeleeuwen konden de meeste mensen namelijk niet lezen. Alleen kinderen van vorsten kregen daar les in, en dan meestal alleen nog maar de meisjes. Ook in het klooster werd lezen en schrijven onderwezen. Daarom kon de kleine monnik het ook. De poortwachter kon het niet, en daar had de monnik natuurlijk al zo'n vermoeden van.

De monnik ging verder: 'Nou, hier staat dat de uitzonderlijk dappere en moedige krijgers die in staat zijn om de hoofdpoortwachter neer te slaan, naar binnen mogen. Maar om onnodig bloedvergieten te voorkomen, moet dat zonder wapens gebeuren.'

'Als dat alles is,' zei Rochus van Quinkenslag en hij duwde de monnik opzij. In één doorgaande beweging maakte hij zijn gordel los, zodat zijn zwaard op de grond viel. Moedig hief hij zijn blote vuist op naar de poortwachter.

Ella hield haar adem in. Je kon een hoop zeggen van haar heer, maar niet dat hij een lafaard was.

Ook de wachter legde zijn lans en zwaard opzij en sprak met een brede grijns: 'Kom maar op dan, als u zo graag in het stof wilt bijten!'

Intussen waren de andere poortwachters nieuwsgierig dichterbij gekomen en ook een deel van de toeschouwers die van alle kanten kwamen aanstormen, bleef staan. Ze vormden een kring rondom de twee totaal verschillende kemphanen. Zo te zien werd het een vechtpartij waar ze een hoop plezier aan konden beleven.

'Moet je zien, hij heeft zelfs zijn eigen monnik meegebracht!' brulde iemand uit de menigte. 'Zo hoeft hij niet bang te zijn dat hij zonder zegening het graf in gaat!'

De omstanders lachten. Hier genoten ze van.

De kleine monnik nam weer het woord en vroeg aan de

grinnikende hoofdpoortwachter: 'En als u verslagen op de grond ligt, betekent dat dan dat wij mogen meedoen?'

De wachter klopte op zijn massieve, gepantserde borst en bulderde: 'Hohohoho. Dat gaat in geen duizend jaar gebeuren! Zo waar als ik poortwachter ben.'

De monnik duwde de toeschouwers een stukje achteruit om de kring groter te maken. Er bleven steeds meer mensen staan kijken. Hier ging iets heel spannends gebeuren! Als een echte scheidsrechter stelde de jongen in het monnikshabijt de ridder en de wachter zo ver mogelijk van elkaar op. Toen ging hij zelf in het midden staan. Wat was hij nou van plan?

Ella en de ridder hadden geen idee dat de jonge kloosterling een gevecht met zichzelf leverde. Ten eerste was hij al stiekem en zonder toestemming weggeslopen uit het klooster om dit toernooi bij te wonen. Ten tweede wist hij dat hij een belofte zou verbreken als hij nu ging doen wat hij van plan was. Zijn leraar had hem namelijk laten beloven dat hij nooit kungfu zou beoefenen buiten de muren van het klooster. Maar wat het hem ook zou kosten, door de aanwezigheid van de schildknaap van de ridder vergat hij alle beloften en goede voornemens. Hij had het gevoel dat hij deze geheimzinnige jongen in het blauwe hemd gewoon móést helpen.

Er klonk nu alleen nog maar gefluister onder de toeschouwers. Op dat moment gebeurde het...

De kleine monnik liep naar het midden van de kring, kruiste zijn armen voor zijn borst en maakte een diepe buiging in de richting van de wachter. Toen slaakte hij een korte kreet, die iedereen door merg en been ging. Hij draaide twee keer om zijn as alsof hij een aanloop wilde nemen, sprong hoog op en wervelde toen zo snel rond dat niemand meer kon zien waar zijn gezicht en waar zijn rug was. Met één been gestrekt en het andere gebogen suisde hij door de lucht. Weer klonk er een kreet en vrijwel gelijktijdig knalde de uitgestrekte voet van de jongen tegen de gepantserde borst van zijn tegenstander. BHAMMM!!!

De omstanders hielden hun adem in. Als een gevelde eik viel de wachter langzaam om en landde met een doffe dreun op zijn rug. Daar bleef hij bewegingloos liggen.

De menigte zweeg verbaasd.

In de stilte vroeg de jonge monnik vriendelijk en met heldere stem: 'Is dat genoeg om ons door te laten?'

Nauwelijks waarneembaar tilde de wachter zijn arm een
klein stukje van de grond. 'Jullie zijn toegelaten,' wist hij nog
uit te brengen.

KUNGFU

De slide-up-round-kick

1. Neem de gevechtshouding aan met je voeten uit elkaar, je rechtervoet naar voren. Buig licht door je knieën en ontspan je lichaam.

2. Je achterste voet (de linker) glijdt naar voren (*slide*). Hou daarbij je knieën gebogen en verplaats je gewicht naar je linkervoet, zodat je schouders naar voren komen.

Met deze kungfu-oefening kun je zowel aanvallen als verdedigen. Bij kungfu is het heel belangrijk dat je knieën altijd licht gebogen zijn en je lichaam ontspannen is.

3. Til je rechterbeen op (*up*), buig je knie en beweeg je voet in de richting van je billen (*round*). Je tenen wijzen naar beneden. Met je knie wijs je in de richting van je tegenstander of je doel.

4. Terwijl je je rechterbeen met kracht naar voren strekt, strek je ook je linkerbeen. Dat moet gelijktijdig. Je rechterarm beweegt tegelijk naar achteren.

Alles was zo snel gegaan, dat de omstanders het nauwelijks hadden kunnen volgen. Ze geloofden hun ogen niet. Was dit een of andere goocheltruc?

Ella's mond hing open van verbazing. Er spookte maar één vraag door haar hoofd: *Wie – ben – jij?*

Maar ze had geen tijd om de vraag te stellen. De menigte loste op en verdween in de richting van het strijdperk. Ella voelde dat ze opzij werd geduwd en pakte snel Arabesks teugel. Zo goed en kwaad als het ging, nam ze hem mee naar de toegangspoort van de arena.

Pas bij de tenten werd het wat minder druk. Eindelijk kreeg ze de monnik te pakken. 'Waar heb jij leren vechten?' vroeg Ella, die nog steeds zwaar onder de indruk was.

'Deze vechtkunst heet kungfu. Dat betekent zoiets als: 'met hard werken verkregen vaardigheid',' antwoordde de jongen.

Ella keek hem alleen maar aan. 'Wat ben jij mysterieus,' zei ze, meer tegen zichzelf dan tegen de jongen. Vol ontzag streek ze over zijn arm.

Toen bond ze haar paard aan een balk en ging samen met de monnik en haar heer een van de tenten in.

Binnen was het een drukte van belang. Iedereen stond door elkaar te praten en de schildknapen vertelden elkaar over hun eerste heldendaden.

Ella voelde zich klein en onbelangrijk. Ze had nog nooit zoiets meegemaakt en begon opeens te twijfelen of haar beslissing om mee te strijden om de maliënkolder wel zo slim was. Maar ze werd uit haar overpeinzingen gerukt door trompetgeschal.

Een prachtig geklede heraut legde de regels uit voor alle aanwezigen. 'In de eerste ronden vecht iedereen tegen iedereen. De vorst bepaalt na iedere ronde wie verdergaan, tot er uiteindelijk nog vier deelnemers over zijn voor de halve finale.'

De monnik fluisterde tegen Ella en de ridder: 'Wat uitgekookt van de vorst. Zo kan Van Duistergrim de tegenstanders die hem niet aanstaan gewoon tijdens de voorronden naar huis sturen.'

De heraut ging verder: 'In de halve finale strijden steeds twee schildknapen tegen elkaar om wie de beste boogschutter is. Degene die verliest, is uitgeschakeld.'

'En wie bepaalt wie tegen wie moet strijden?' riep een jongen.

'Dat doet de vorst uiteraard!' verklaarde de heraut.

Weer wisselden Van Quinkenslag, Ella en de monnik een veelzeggende blik.

'De twee winnaars strijden tegen elkaar in de laatste ronde.'

'Tjonge, dat kan nog spannend worden,' riep een van de

schildknapen.

'Zijn de regels duidelijk?' vroeg de heraut.

Iedereen knikte.

'Dan verzoek ik nu de schildknapen om naar de arena te komen. Alle anderen zijn welkom op de eretribune.' Hij laste een dramatische pauze in. 'Hierbij verklaar ik het toernooi voor geopend...'

HET ZEVENDE HOOFDSTUK,

waarin paardenvijgen een belangrijke rol spelen

Ella kreeg het warm en koud tegelijk. Zou vandaag werkelijk haar lang gekoesterde droom in vervulling gaan? Ging ze niet alleen een toernooi bijwonen, maar er zelfs hoogstpersoonlijk aan deelnemen? Als Marta dat eens wist...

Weer klonk er trompetgeschal en de schildknapen liepen de arena in. Ze gingen tegenover de eretribune staan om gezamenlijk een plechtige groet aan de vorst te brengen. Een paar rijen achter de vorst zag Ella ridder Van Quinkenslag opgewonden zwaaien. Naast hem zat de geheimzinnige kungfu-monnik. Zijn gezicht stond gespannen.

De trompetten schalden voor de tweede keer, het applaus van de toeschouwers verstomde en de heraut kondigde aan: 'De eerste opdracht voor de schildknapen zal voor sommigen onder ons wellicht grappig zijn. Zeer zeker ook voor onze vorst, omdat hij deze opdracht heeft bedacht! Zodra ik het teken geef, moeten de schildknapen de arena helemaal ont- doen van paardenvijgen. Deze worden verzameld in de manden bij de poort. Als de arena schoon is, zal de vorst bepa- len wie het dapperst heeft gestreden.'

'Je bedoelt zeker: wie het dapperst in de stront heeft gegre- pen!' riep een vrouw uit de menigte.

Iedereen lachte. Vorst Radbout Kneusneus van Duistergrim lachte het hardst, vol leedvermaak.

De schildknapen keken elkaar geïrriteerd aan. Zo hadden ze zich de eervolle strijd om de maliënkolder niet bepaald voorgesteld. Enigszins ongelovig gingen ze klaarstaan en wachtten op het startsein.

Naast Ella stond een grote jongen met een brede borst, die helemaal in het rood gekleed was. Hij stak zijn ellebogen opzij en duwde Ella naar achteren om zelf een betere startpositie te krijgen. Daarna zette hij zijn handen in zijn zij. Toen ze achteruit struikelde, zag ze op zijn rug het wapen van de vorst Van Duistergrim. Aha, dacht Ella. Ze maakte zich klein en dook

zonder dat de rode schildknaap het merkte, onder zijn armen door. Nu stond zij weer voorop.

Meteen klonk het startsein en alle schildknapen schoten ervandoor, alle kanten op, om paardenmest te verzamelen.

Alleen Ella rende niet. Ze liep rustig van paardenhoop naar paardenhoop en verzamelde de mest in haar hemd, dat ze als een buidel voor zich hield. Als die vol was, liep ze naar de poort om haar vrachtje daar te legen.

Alleen voor Rochus van Quinkenslag viel er niks te lachen. Hij maakte zich zorgen om zijn mooie hemd van Brussels kant en jammerde: 'Dat stinkt nu voorgoed naar paardenmest!'

De trompetten schetterden het eindsignaal en de vorst maakte zijn keuze. Gelukkig hoorde Ella bij de uitverkorenen die door mochten naar de volgende ronde. Ze ademde diep in.

Ook in de andere voorrondes was Ella heel handig. Eerst moesten ze met een zwaard appels die op een paal lagen, in tweeën slaan. Dat deden ze, terwijl ze op een paard voorbijreden. Dankzij Arabesks rustige stap lukte het Ella om bijna alle appels te raken, hoewel het zwaard zo zwaar was dat ze het nauwelijks omhoog kreeg.

Ridder Rochus vergat zijn zorgen om zijn hemd en applaudisseerde enthousiast.

Daarna moesten de schildknapen hun rijkunst laten zien en met hun paard door een brandende boog heen galopperen. Arabesk had een hekel aan vuur, maar Ella beloofde hem zijn favoriete maaltje, appeltaart met haverbrij. Daarom deed hij toch mee en voltooide de opdracht foutloos, maar wel met veel gemopper.

De laatste voorronde was een steekspel, iets waar Ella altijd van had gegriezeld. Het was de bedoeling dat de ruiters hun tegenstanders met een lans uit het zadel stootten. Omdat de schildknapen geen harnas droegen, waren er kussens om de uiteinden van de lansen gebonden. Toch kon je natuurlijk behoorlijk gewond raken als je in volle vaart van je paard werd geworpen.

Ella wist iedere keer op tijd uit te wijken als de rode schildknaap in haar buurt kwam. Er was niemand die zo woest tekeerging als hij en Ella had het gevoel dat hij het op haar gemunt had.

Aan het einde van deze ronde waren zij tweeën met nog twee andere schildknapen over en de vorst Van Duistergrim beëindigde het steekspel.

ZOEKPLAAT

van burcht Clearmont tijdens het toernooi

↪ Kun je de prinses vinden?

↪ Waar is de burcht-wc?

Hoeveel wachters zie je?

Zie je het paard dat kan traplopen?

Wat voor nieuwtje wordt van raam naar raam doorverteld?

Wat zou de man aan de schandpaal hebben misdaan?

En toen was het zover. Ella kon het bijna niet geloven. Ze had alle voorronden gehaald. Nu mocht ze als een van de laatste vier deelnemers meedoen in de halve finale. Ze voelde het blauwe hemd aan haar lijf plakken. Tjonge, wat was dit allemaal spannend!

De vorst deelde de paren in. Ella moest het opnemen tegen een boogschutter die een stuk ouder was dan zij.

Ben jij verbaasd *dat Ella zover was gekomen? Ella was in haar blauwe hemd de jongste en kleinste deelnemer aan de finales. Je kunt je voorstellen dat de vorst haar graag liet meedoen in de halve finale. Hij wilde natuurlijk niet al te sterke tegenstanders voor zijn eigen schildknaap, want hij had hem zelf opgegeven voor deze wedstrijd. Dat een waarzegster hem had voorspeld dat de kleur blauw zijn ondergang zou worden, was hij even helemaal vergeten...*

Ella en haar tegenstander waren als tweede paar aan de beurt. De heraut liet de bogen brengen, de blazoenen werden neergezet en de toeschouwers werden gewaarschuwd dat ze dekking moesten zoeken.

De eerste twee kandidaten schoten na elkaar. De pijl van de een schampte alleen de buitenste ring van het blazoen en dus was de winnaar al snel bekend. Dat was natuurlijk de rode schildknaap van vorst Kneusneus van Duistergrim. Het publiek begon te fluisteren. Het was van tevoren al duidelijk wie dit zou winnen.

Maar voor Ella werd het nu echt spannend.

Rochus van Quinkenslag en de kleine monnik waren over-eind gesprongen. Van pure opwinding konden ze niet meer blijven zitten, ondanks de protesten van de toeschouwers achter hen.

Nu was Ella's tegenstander aan de beurt. Hij trok zo hard aan de boog dat die bijna doormidden brak. De menigte hield zijn adem in. De pijl suisde weg en doorboorde de schijf vlak bij het midden. Er klonk applaus.

Ella ademde diep in. Nu was het haar beurt.

Op de tribune trok Rochus van Quinkenslag zijn helm voor zijn ogen. 'Ik durf niet meer te kijken,' jammerde hij. 'Als ik had geweten dat ze ook moesten boogschieten, had ik haar nooit laten meedoen. Dan was deze schande haar bespaard geble-ven. Ze zal de schijf niet één keer raken!'

'Over wie heeft u het nu?' vroeg de kleine monnik zonder zijn blik van de arena af te wenden.

'Nou, over mijn dienstma… eh… mijn schildknaap,' zei de ridder snel. 'Over *hem* natuurlijk. Over *hem*,' voegde hij er snel aan toe.

'O ja.' De monnik luisterde niet echt. Want nu liep Ella naar voren en koos een hele lichte boog uit. Ze trok de pees krachtig naar achteren en liet hem weer los.

'Is het al voorbij?' vroeg Van Quinkenslag vanachter zijn afgezakte helm.

'Nee, hij heeft alleen de spanning getest,' antwoordde de monnik.

'Ze zal het blazoen vast en zeker niet één keer raken,' jammerde de ridder.

'Ssst,' siste de jongen in het monnikshabijt alleen maar.

Toen ging Ella klaarstaan. Ze concentreerde zich. Nu moest

het gebeuren. Voor ze de pees spande, liet ze haar ogen zoekend over de tribune gaan. De jonge monnik zwaaide naar haar. Ze zwaaide terug, maar spande de boog nog niet. Ze liet haar hand onder haar hemd glijden en tastte naar de amulet.

Het werd doodstil in de arena.

HET ACHTSTE HOOFDSTUK,

waarin een gemene streek mislukt

Ella's pijl suisde door de lucht – en kwam precies midden in de schijf terecht. De menigte juichte. Ella liet haar adem ontsnappen en lachte. Dat was nou net de bedoeling.

De oude Van Quinkenslag *wist niet dat een zekere Alfons, een kolenbrander, het boogschieten regelmatig met Ella had geoefend. Wie die Alfons dan was? Nou, de vriend van pleegmoeder Marta. Hoewel hij een eenvoudige kolenbrander was, hield hij veel van boogschieten. Hij kon voortreffelijke bogen maken van brandhout – en hij bewaarde zijn voorraad in de hut van Marta. Daarom was Ella opgegroeid met bogen en boogschieten. Na rijden op Arabesk was het haar tweede grote hartstocht.*

Voor ieders ogen had Ella zich gekwalificeerd voor de grote finale. En deze werd man tegen man uitgevochten. De heraut las de regels die golden voor de eindstrijd luidkeels voor. Het was een paardenrace waarbij de ruiters aan het eind hun lans door een ring moesten steken. Hij verklaarde: 'Degene die het eerst bij het doel is, probeert de ring in één keer aan zijn lans te rijgen. Als dat niet lukt, mag de tweede schildknaap het proberen. Als die ook missteekt, gaan we verder met de volgende ronde, net zolang tot een van de twee de ring doorboort. Begrepen?'

Beide deelnemers knikten en de rode schildknaap nam zijn paard in ontvangst, dat door iemand naar hem toe werd gebracht. De paarden hadden tijdens het boogschieten buiten de arena mogen drinken. Het paard van de rode schildknaap was een vurige vos, die opwonden danste.

Het publiek keek naar Ella. Waar was haar paard? Had zij niemand die het voor haar naar binnen bracht? De jonge monnik boven op de tribune wilde er al naartoe rennen, omdat hij dacht dat Ella hulp nodig had. Maar Ella gebaarde dat hij kon blijven zitten. Toen bewoog ze geluidloos haar lippen. ARA-BESK, zag de kleine monnik. Op dat moment kwam de schitterende hengst al aandraven en hij begroette Ella briesend.

Het publiek begon verrukt te fluisteren.

Met één sprong zat Ella op zijn rug en reed naar de start. Het paard van haar tegenstander stond nog steeds opgewonden te dansen, maar Arabesk was volkomen rustig. Zijn voorvaderen waren ervaren wedstrijdpaarden geweest, die heel wat prijzen hadden gewonnen. In zijn familie werd veel over de toernooien gepraat en iedereen wist altijd een nog vreemder verhaal over zulke wedstrijden. Daarom keek Arabesk nergens van op. Hij had alleen maar zin in deze uitdaging.

Stilletjes legde Ella hem uit wat de bedoeling was, terwijl vorst Van Duistergrim de maliënkolder omhoog liet houden, zodat iedereen de kostbare eerste prijs kon bewonderen.

'Denk je niet dat die maliënkolder iets te groot voor ons is?' vroeg Van Quinkenslag aan de monnik naast hem.

'Volgens mij zit hij strakker dan mijn monnikshabijt,' antwoordde de jongen.

Nu paradeerde het hulpje van de heraut heen en weer voor de toeschouwers om hun het dure kledingstuk te laten zien. Er ging een gemompel door het publiek.

Een jonge boerenknul stond op en riep: 'Dat dure hemd kan de vorst zich alleen maar veroorloven omdat hij ons helemaal uitkleedt!'

Hij kreeg veel bijval en de omstanders lachten hartelijk.

Ook de vorst had zijn opmerking gehoord. Hij ging staan met een harde uitdrukking op zijn gezicht. Met uitgestrekte arm wees hij naar de jonge boer en siste tegen zijn wachters: 'Grijp hem! En bind hem aan de schandpaal!' Twee sterke wachters trokken de arme jongen met grof geweld uit de menigte. De mensen werden stil. De opstandige boerenjongen smeekte luidkeels om vergeving, maar het was te laat. De vorst kende geen genade: 'Aan de schandpaal zal hij wel leren dat ik hier de enige ben die grapjes maakt!' brulde hij. Daarna richtte hij zich in zijn volle lengte op en zwaaide met een rode doek. Meteen kregen beide strijders hun lans aangereikt.

Ella liet de lans meteen weer bijna vallen, omdat ze niet had verwacht dat die zo zwaar zou zijn. Ze probeerde het lange geval onder haar arm te klemmen. Dat lukte maar nauwelijks en ze vroeg zich af hoe ze daar ooit mee moest rijden. En hem dan ook nog op een kleine ring richten leek haar helemaal onmogelijk.

Arabesk voelde dat zijn vriendin begon te twijfelen. 'Je kunt het best!' sprak hij haar moed in. 'Wíj kunnen het!' voegde hij eraan toe. En toen, met een blik op hun tegenstander en zijn paard: 'We zullen die roodhuiden platwalsen.'

Dat is nou weer typisch Arabesk, dacht Ella. Zelfs voor een paard heeft hij een grote mond. Maar toch deden zijn woorden haar goed.

Er klonk weer trompetgeschal. Nu spande het erom.

De rode schildknaap wierp een laatste minachtende blik op Ella. 'Doe het maar niet in je broek, kleintje. Die maliënkolder win ik toch.'

'Misschien dat je straks in je hemd staat, maar zeker niet in dat dure hemd daar. Want dat ga ik zo ophalen!' kaatste Ella terug.

De heraut legde de spelregels uit. 'Als de vorst het teken geeft,

starten jullie!'

Iedereen keek gespannen naar de vorst, die nog steeds de rode doek omhooghield. Plotseling liet hij hem vallen.

Zij aan zij stormden de twee schildknapen er op hun paarden vandoor. De rode jongen trapte met zijn hakken in de buik van de vos, maar desondanks liet Arabesk hem halverwege al ver achter zich.

Het publiek klapte en brulde. Wat had die blauwe schild- knaap een schitterend paard! Rochus van Quinkenslag en de monnik juichten, want Ella was natuurlijk als eerste bij de ring.

Hijgend en puffend bracht ze de zware lans omhoog, mikte en… mis!

Het publiek kreunde. Van Quinkenslag zakte in elkaar. Toen gleed zijn blik naar de vorst. Die wreef geestdriftig in zijn handen.

Nu bracht de schildknaap van de vorst zijn lans in stelling voor de ring. Hij kon er de tijd voor nemen en zorgvuldiger richten dan Ella. Er lag al een zegevierende grijns op zijn gezicht. Hij nam een aanloop en… prikte in het niets.

'Stomme sukkel!' klonk de stem van de vorst bulderend over het terrein.

Meteen kondigde de heraut de tweede ronde aan.

'Stop! Stop!' onderbrak de vorst hem. 'We willen het voor iedereen nog wat spannender maken! Ik heb een kleine verrassing laten voorbereiden!' Op zijn bevel werden hem twee helmen aangereikt.

'De strijders moeten deze helmen dragen, zodat ze eruitzien als echte ridders. Dan gaat het vast een stuk beter!'

Van Quinkenslag en de monnik keken elkaar vragend aan. Ook de andere toeschouwers wisten niet wat ze hiervan moesten denken.

Iemand uit de menigte riep boosaardig: 'Onze vorst heeft

altijd weer een verrassing in petto!'

En daar had hij gelijk in – alleen werd dit een hele gemene verrassing!

Je hebt vast geen idee wat voor misselijke verras-sing de vorst had bedacht. Of wel soms? Zoiets gemeens heb je waarschijnlijk nog nooit gehoord. Want hij had bij de ene helm de kijkgleuf dicht-gestopt. Nu mag jij raden bij wie...

Toen de helm bij Ella op het hoofd werd gezet, had ze niet eens tijd om te protesteren. De vorst gaf namelijk meteen het startteken. Pijlsnel stormden de paarden weg.

'Arabesk! Ik zie niets! De vorst heeft ons erin laten lopen!'

'Vertrouw op mij!' hoorde Ella en ze merkte dat Arabesk nog een tandje sneller ging. Aan het eind was zijn voorsprong nog groter dan de eerste keer. De vorst kon zijn ogen niet geloven. Wat was dat voor paard, dat ook de weg wist als zijn ruiter niet kon sturen? En wat gebeurde er nu? Het paard kwam in één keer tot stilstand. De blauwe schildknaap tilde voorzichtig zijn lans op. De punt van de lans kwam steeds dichter bij de ring.

Het paard liep heel rustig voorwaarts en de ruiter bewoog de lans in de goede richting, alsof iemand hem influisterde wat hij moest doen.

'Dat bestaat niet!' tierde de vorst. 'Daar klopt iets niet!'

Van Duistergrim kon niet vermoeden dat iemand met vaste blik de ruiter op zijn rug aanwijzingen gaf. Dat geheim kenden alleen Ella en Arabesk!

Op dat moment stak Ella de lans door de ring.

De menigte sprong overeind van enthousiasme en trappelde met de voeten. Ella trok de lastige helm van haar hoofd, steeg van haar paard en liep met grote stappen naar de tribune. De vorst zat nog steeds niet-begrijpend naar haar te staren.

'De maliënkolder! De maliënkolder!' brulde de menigte.

Als verdoofd vervulde de vorst zijn plicht en gaf Ella haar welverdiende prijs.

Ella genoot van het moment. Trots zwaaide ze met de maliën-kolder in de richting van Rochus van Quinkenslag, die al juichend naar haar op weg was. Toen trok Ella de maliënkolder snel aan. Het koude metaal rustte zwaar op haar schouders.

Met een bazig gebaar bracht de vorst de joelende menigte tot zwijgen. Zijn gezicht stond woedend, door het verlies van de maliënkolder. Toch ging het hem niet alleen om dat

kledingstuk. Er was iets anders wat hem razend maakte: een of andere vreemde schildknaap had zijn plannen doorkruist! En die schildknaap droeg de kleur... blauw! Nu schoot de voorspelling van de waarzegster hem weer te binnen.

Zwetend gebaarde hij de menigte dat ze moesten zwijgen. En toen het rustig was, bulderde hij: 'Wie is je heer en hoe luidt je naam?'

'Mijn naam is...' Halverwege de zin stopte Ella. Wat zou er gebeuren als ze nu haar naam noemde, of die van haar heer? Om te beginnen zou dan blijken dat ze een meisje was en dat ze dus geen recht had om mee te doen aan het toernooi. Dan moest ze de maliënkolder vast en zeker teruggeven. En als ze dan ook nog de naam van haar heer zou noemen, zou de goede Rochus van Quinkenslag vast geen rustige dag meer kennen... de woede van vorst Van Duistergrim zou zijn leven tot een hel maken. Ze mocht haar identiteit en die van de ridder in geen geval prijsgeven.

Zoekend keek ze om zich heen. Waar was Arabesk? En waar was de ridder? Ze moest nu snel zijn, want de vorst wachtte nog steeds op antwoord!

Ella sprong over de borstwering en nam een snoekduik naar de rug van Arabesk, die haar al tegemoet kwam draven. Voordat de omstanders begrepen wat er aan de hand was, reed ze naar haar heer toe en sleurde hem omhoog, zodat hij bij haar op het paard kwam te zitten.

De kleine monnik begreep echter meteen wat die twee van plan waren en riep snel: 'Zullen we elkaar ooit nog terugzien, geheimzinnige blauwe schildknaap? Waar hoor je thuis? Hoe heet je?'

'Mijn naam is Ella!'

'Ella? Maar dat is toch...'

'En hoe heet jij?'

'Urs!'

Ondanks de drukte en de haast moest Ella iets doen om te laten zien hoe blij ze was. Ze hengelde haar halve amulet onder de maliënkolder vandaan en hield die als een trofee boven haar hoofd. 'Als pleegmoeder Marta me zo kon zien, zou ze zo trots zijn!'

Urs begreep niet wat Ella zei. Hij hield zijn blik strak op de amulet gericht. Was het echt mogelijk...? Hij kneep zijn ogen samen en sperde ze weer open. 'Maar dat kan niet...' stamelde hij en hij trok de ketting die onder zijn monnikshabijt bungelde tevoorschijn. En daaraan hing...

… een halve amulet. Hij zag er precies hetzelfde uit als het kostbare erfstuk van Ella, met twee fraaie saffieren erin verwerkt, die om het hardst fonkelden.

Urs had geen tijd meer om nog iets te zeggen of te vragen, want Ella daverde met de ridder op Arabesk dwars door de arena, op de poort af.

Heel even bleef het stil. De menigte hield zijn adem in.

Toen brulde Van Duistergrim zo hard dat de aarde beefde: 'Erachteraan!'

Maar Arabesk was allang verdwenen.

Rochus van Quinkenslag zat achter Ella en klampte zich aan haar vast. 'Donderscheet en mierenbeet – wat goed dat we jouw deelname aan het toernooi hebben bevochten! Je mag jezelf wel gelukkig prijzen dat wij dat voor jou hebben geregeld!' verkondigde hij. 'Natuurlijk zullen we onze welverdiende prijs, de maliënkolder, eerlijk delen en om de beurt dragen.' Toen riep hij luidkeels: 'Voorwaarts! Voorwaarts naar onze prachtige burcht!'

Maar Ella luisterde niet naar hem. Ze dacht aan de monnik, Urs, die kungfu kon en met wie ze een magische band voelde. Ze besefte dat dit het begin van een groot avontuur was en zwoer dat ze Urs terug zou vinden om samen met hem alle geheimen te ontrafelen.

Maar er was nog iemand die iets zwoer. En dat was de vorst Van Duistergrim. Eeuwige wraak zwoer hij. Hij kon niet toelaten dat de waarzegster met haar voorspelling misschien wel gelijk had gehad. Hij wilde deze schildknaap en zijn heer opsporen en daarna de schande ongedaan maken, die deze blauwe ruiter hem had aangedaan.

En wat zwoer Arabesk? Dat hij dit avontuur aan zijn nakomelingen zou vertellen. Hoe hij samen met Ella het toernooi van de gemene vorst Van Duistergrim had gewonnen. Dit was nu echt een leuke dag geweest, vond hij. Want Arabesk hield van avontuur. Haast net zo veel als van appeltaart met haverbrij.